MOI, JE LIS

TOUT SEUL !

Bientôt Noël !

© 2016, éditions Auzou
24-32 rue des Amandiers, 75020 Paris – France

Direction générale : Gauthier Auzou
Responsable éditoriale : Maya Saenz-Arnaud
Création graphique : Alice Nominé
Mise en pages : Ève Gentilhomme
Responsable fabrication : Jean-Christophe Collett
Fabrication : Bertrand Podetti
Correction : Marjolaine Revel

Produit conçu et fabriqué sous système de management
de la qualité certifié AFAQ ISO 9001.

TOUT SEUL !

Bientôt Noël !

Écrit par Clémence Masteau
Illustré par Caroline Modeste

AUZOU *premières lectures*

C'est bientôt Noël. Pendant la récréation,
un gros tracteur s'est garé devant l'école.
C'est le papa de Thomas qui conduit.
« Il vient apporter le sapin ! », s'écrie Oscar.

5

Tous les enfants s'approchent pour regarder. Mais ils n'ont pas le droit d'être trop près. Le directeur de l'école aide le papa de Thomas à installer l'arbre.

« Comme il est grand ! », dit Salomé, émerveillée.

Quand la récréation est terminée,
il n'est pas facile de retourner travailler.
Dans la classe, les enfants ont du mal à
se concentrer.

« C'est promis, **dit Marie,** après le calcul, on bricole : il faut décorer le sapin de l'école. »

Les élèves s'appliquent : ils découpent une étoile. Ensuite, ils doivent la colorier.

« C'est bien, **encourage Marie.** Demain, vos parents viennent à l'école. On va partager le goûter, puis vous allez chanter. »

Le lendemain, tout le monde est occupé à préparer la fête. Marie, elle, assemble les étoiles de tous les enfants de l'école. Ça fait une guirlande très longue.

« Comment on va l'accrocher, maintenant ? »,
demande Salomé.

Marie ne répond pas. Elle se tourne vers
Thomas et lui fait un clin d'œil.

« Ne cours pas dans l'escalier », lui dit-elle en
lui donnant la guirlande.

Puis elle dit aux autres enfants :

« Allez regarder par la fenêtre... »

Au pied du sapin, le papa de Thomas est là. Il a apporté sa grande échelle. Il a déjà

accroché la guirlande lumineuse. Il fixe
maintenant celle que Thomas lui apporte.

À la fenêtre, les enfants applaudissent.
Thomas est très fier.

Pendant ce temps-là, le goûter a été installé. La fête peut commencer.

Quand tous les parents sont arrivés, les enfants se regroupent autour de l'arbre pour chanter.

Un seul élève oublie de chanter...
C'est Thomas. Il est émerveillé par le
sapin si bien décoré.
Et quand il commence enfin, les autres
ont déjà terminé.
Tout rouge, il sourit... Et tout le monde
éclate de rire.

 LES JEUX D'OSCAR ET SALOMÉ

1 Sais-tu remettre l'histoire dans l'ordre ?

Puis, quand les parents sont arrivés, les enfants commencent à chanter.

Avant la fête de Noël, le papa de Thomas apporte le sapin à l'école.

Le papa de Thomas l'accroche dans l'arbre.

Alors Marie fabrique une guirlande avec toutes les étoiles.

Mais Thomas se met à chanter quand les autres ont terminé...

Après leur travail, les enfants fabriquent des étoiles pour le décorer.

2 **Sais-tu répondre à ces questions ?**

■ Qui aide le papa de Thomas à installer le sapin ?

■ Que font les élèves de Marie avant de fabriquer une étoile ?

■ Le papa de Thomas accroche la guirlande d'étoiles. Mais qu'a-t-il accroché d'autre dans le sapin ?

■ Pourquoi Thomas oublie-t-il de chanter ?

LES JEUX D'OSCAR ET SALOMÉ

3 **Sais-tu remettre les mots dans l'ordre pour faire une phrase ?**

● l' – garé – école – tracteur – gros – un – devant – est

● sapin – faut – l'– de – décorer – il – école – le

● applaudissent – les – fenêtre – à – enfants – la

● décoré – par – sapin – si – est – bien – le – émerveillé – il

LES JEUX D'OSCAR ET SALOMÉ

4 **À toi de jouer ! Fabrique une guirlande pour ton sapin.**

Tu as besoin :
- De feuilles de papier de couleur
- De ficelle
- De colle
- D'une paire de ciseaux

Pour éviter les bêtises, demande à un adulte de t'aider !

1. Découpe les étoiles dans les feuilles de papier de couleur.

2. Prends deux étoiles et mets de la colle sur une face.

3. Dépose la ficelle au milieu de la face collante de l'étoile et positionne l'autre étoile.

4. La ficelle est prise en « sandwich » et tu peux continuer ainsi avec les autres étoiles...

Les RÉPONSES DES JEUX sont dans l'histoire.
Fais-toi aider par un adulte pour les retrouver !

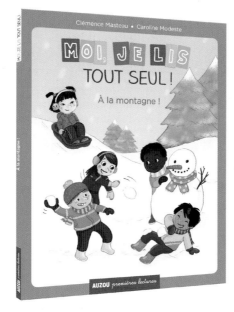

À la montagne

La classe d'Oscar et Salomé part à la montagne avec Marie, leur maîtresse !
Cours de ski, descentes en luge et bonshommes de neige sont au programme… C'est l'aventure !